GIACOMO PUCCINI

Composizioni vocali da camera

VOCAL CHAMBER COMPOSITIONS

per canto e pianoforte

for Voice and Piano

RICORDI

Grafica musicale a cura di:
LABMUSICA di Piero Midili (labmusica@planet.it)

Grafica di copertina di Giorgio Fioravanti

NR 139188
ISMN 979-0-041-39188-5

Indice / Contents

Note e testi

A te

Questa romanza risale agli anni di studio di Puccini presso l'Istituto Pacini di Lucca (1875?). Il testo è di autore sconosciuto.

Oh! quant'io t'amo,
oh quanto in me forte è il desio,
di stringerti al cuor mio,
di farti palpitar.

Da te così lontano
io soffro, io soffro assai;
né pace trovo mai
perché troppo è l'amor!

O mia vittoria, o mio tesoro,
o bene mio, o mio sol pensiero,
e dammi un bacio e il mondo intiero,
e mi farai tutto obbliar.

Storiella d'amore

Composta nel 1833 su una poesia di Antonio Ghislanzoni (una versione del Canto V della *Divina Commedia* di Dante Alighieri, dove si narra della vicenda di Paolo e Francesca), questa melodia per canto e pianoforte è la prima composizione pucciniana pubblicata. Apparve il 4 ottobre 1833 nel N. 40 del settimanale illustrato "La Musica Popolare", fondato da Edoardo Sonzogno, preceduta da notizie sul giovane compositore.

Noi leggevamo insieme
un giorno per diletto
una gentile istoria
piena di mesti amor;

e senz'alcun sospetto
ella sedeami a lato,
sul libro avventurato
intenta il guardo e il cor.

L'onda de' suoi capelli
il volto a me lambìa,
eco alla voce mia
faceano i suoi sospir.

Gli occhi dal libro alzando
nel suo celeste viso,
io vidi in un sorriso
riflesso il mio desir.

Notes and lyrics

To you

This song dates from Puccini's student years at the Pacini Institute in Lucca (1875?). The text is by an anonymous author.

Oh, how much I love you!
How strong is the desire in me
To hold you tightly to my heart,
to make your heart flutter.

When I am so far from you
I suffer, I suffer so much;
nor do I ever find peace
because my love is too strong!

O my victory, my treasure,
my beloved, my one and only thought,
give me a kiss and I shall
quickly forget the entire world!

Little Story of Love

This song was composed by Puccini to a poem by Antonio Ghislanzoni in 1833 (a version of the Canto V in Dante Alighieri's Divine Comedy*, which tells the story of Paolo e Francesca). It is Puccini's first published composition appearing on the 4th of October, 1833, in the weekly illustrated periodical "La Musica Popolare" by Edoardo Sonzogno. An article preceding the music mentioned information on the young composer.*

One day, we were reading
together for delight
a pleasant story
full of sad love;

she sat beside me
without any misgiving,
her gaze and her heart
intent upon the portentous book.

Her wavy hair
caressed my face,
her sighs
were echoing my voice.

Raising my eyes from the book,
I saw my desire
reflected in a smile
upon her heavenly face.

La bella mano al core
strinsi di gioia ansante…
Né più leggemmo avante…
E cadde il libro al suol.

Un lungo, ardente bacio
congiunse i labbri aneli,
e ad ignorati cieli
l'alme spiegaro il vol.

I pressed her beautiful hand to my heart
breathing quickly with joy….
We read no further…
And the book fell to the ground.

A long, ardent kiss
united our yearning lips,
and toward unknown skies
our souls unfolded in flight.

Sole e amore

Puccini compose questa romanza nel 1888, su versi di autore sconosciuto, probabilmente lo stesso Puccini. Il testo è una parodia della *Mattinata* di Giosuè Carducci. La romanza venne pubblicata per la prima volta nel numero strenna del "Periodico Artistico-Musicale" genovese intitolato "Il Paganini" il 15 dicembre 1888.

Il sole allegramente batte ai tuoi vetri;
amor pian pian batte al tuo cuore
e l'uno e l'altro chiama.
Il sole dice: "O dormente mostrati che sei bella!"
Dice l'amor: "Sorella, col tuo primo pensier
Pensa a chi t'ama!"

Sun and Love

Puccini composed this song in 1888. The text is by an anonymous author, probably Puccini himself, and is a parody of the sonnet entitled Mattinata *by Giosuè Carducci. The song first appeared in the musical supplement to the periodical entitled "Il Paganini" published in Genova on 15 December 1888.*

The sun joyfully beats at your windows;
love very softly taps at your heart,
both of them calling you.
The sun says: "Oh sleepy-head, let me see your beauty!"
Love says: "Sister, with your first thought
think of him who loves you!"

Avanti Urania*!*

Composta e terminata a Torre del Lago il 4 ottobre 1896, questa lirica, su versi di Renato Fucini, fu scritta da Puccini in occasione dell'acquisto da parte del marchese Carlo Benedetto Ginori Lisci del *Queen Mary,* uno *steamer* costruito in Scozia di 179 tonnellate ribattezzato *Urania.* La composizione fu dedicata alla moglie del marchese, Anna Ginori Lisci.

Io non ho l'ali, eppur quando dal molo
lancio la prora al mar,
fermi gli alcioni sul potente volo
si librano a guardar.

Io non ho pinne, eppur quando i marosi
niun legno osa affrontar,
trepidando, gli squali ardimentosi
mi guardano passar!

Simile al mio signor,
mite d'aspetto quanto è forte in cuor,
le fiamme ho anch'io nel petto,
anch'io di spazio,
anch'io di gloria ho smania,
Avanti *Urania!*

Forward *Urania!*

This song, composed to words by Renato Fucini, was completed by Puccini at Torre del Lago on 4th October, 1896. It was written to celebrate the Marquis Carlo Benedetto Ginori Lisci's acquisition of the Scottish-built 179-ton iron steamer Queen Mary, *and its re-launching as* Urania. *The composition is dedicated to the Marquis' wife, Anna Ginori Lisci.*

I don't have wings, and yet when my bow heads
seawards from the quay,
the powerful kingfinshers overhead
hover and watch.

I don't have fins, and yet when no other boat
dares to brave the roaring seas,
anxiously, the fearless sharks
watch me go by!

Like my owner,
with gentle looks yet a brave heart,
I too have flames in my breast,
I too long for space,
I too desire glory,
forward Urania*!*

Inno a Diana

Puccini fu un appassionato cacciatore. L'*Inno a Diana*, su versi di Carlo Abeniacar, fu composto nel 1897 e dedicato "Ai Cacciatori Italiani". Venne scritto per il periodico "Sant'Uberto" e pubblicato a Napoli dal Cavaliere G. Salvati.

Gloria a te, se alle notti silenti
offri, o Cinzia, i bei raggi all'amor;
gloria a te, se ai meriggi concenti
tempri, o Diana, dei forti il valor.

Sui tuoi baldi e fedeli seguaci
veglia sempre con l'occhio divin;
tu li guida alle imprese più audaci,
li sorreggi nell'aspro cammin.

Dalle vette dell'Alpi nevose
fino ai lidi del siculo mar;
per i campi e le selve più ombrose,
dove amavi le fiere incontrar;

sovra i laghi, ove baciano l'onda
le corolle di candidi fior,
giunga a te, come un'eco profonda,
questo fervido canto d'amor!

Hymn to Diana

Puccini was a passionate hunter. The Hymn to Diana *was composed in 1897 to lyrics by Carlo Abeniacar and dedicated to the "Italian Hunters". It was written for the periodical "Sant'Uberto" and published by Cavaliere G. Salvati in Naples.*

Glory to you, O Cinthia, when in silent nights
you offer the lovely beams to love;
glory to you, O Diana, when in the hot afternoons
you strengthen the courage of the brave ones.

Always watch over your fearless and faithful followers
with your divine eye;
guide them in the most daring of enterprises,
sustain them on the rough way.

From the peaks of the snowy Alps
to the shores of the Sicilian sea,
through the fields and the shadiest of woods,
where you loved to meet the wild animals;

over the lakes, where the petals of white flowers
touch the waves,
may this fervent song of love reach you
like a deep echo!

E l'uccellino

Questa ninna-nanna, su versi di Renato Fucini, fu scritta da Puccini nel 1899 per il bambino Memmo Lippi, figlio di un suo amico prematuramente scomparso, Guglielmo Lippi. Memmo venne allevato da un altro amico di Puccini, Alfredo Caselli, che nel luglio del 1898 si fece promotore di un album dedicato a Guglielmo Lippi. Per questa pubblicazione Puccini compose *E l'uccellino*.

E l'uccellino canta sulla fronda:
"Dormi tranquillo, boccuccia d'amore;
piegala giù quella testina bionda,
della tua mamma posala sul cuore."

E l'uccellino canta su quel ramo,
"Tante cosine belle imparerai,
ma se vorrai conoscer quant'io t'amo,
nessuno al mondo potrà dirlo mai!"

E l'uccellino canta al ciel sereno:
"Dormi tesoro mio qui sul mio seno."

And the little bird

This lullaby, to words by Renato Fucini, was written by Puccini in 1899 for Memmo Lippi, the baby son of a friend of his - Guglielmo Lippi - who died prematurely. Memmo was treated like an adopted child by another one of Puccini's good friends, Alfredo Caselli, who organized a memorial tribute to Guglielmo Lippi in the form of an album dedicated to him. Puccini composed E l'uccellino *for this album.*

And the little bird sings on the leafy branch:
"Sleep peacefully, you cute little thing;
rest your little blond head,
upon your mother's heart."

And the little bird sings upon that branch:
"You will learn many lovely things,
but if you want to know how much I love you,
no one will ever have words enough to tell!"

And the little bird sings in the serene sky:
"Sleep my darling here upon my breast."

Terra e mare

Edoardo De Fonseca, fondatore dell'albo annuale d'arti e lettere "Novissima", invitò nel 1902 i più noti scrittori, poeti, musicisti ad offrire il loro contributo sul tema "il mare". Puccini scrisse *Terra e mare,* su versi del poeta Enrico Panzacchi.

I pioppi, curvati dal vento,
rimugghino in lungo filare.
Dal buio, tra il sonno, li sento
e sogno la voce del mar.

E sogno la voce profonda
dai placidi ritmi possenti;
mi guardan, specchiate dall'onda,
le stelle nel cielo fulgenti.

Ma il vento più forte tempesta,
de' pioppi nel lungo filare,
dal sonno giocondo mi desta…
lontana è la voce del mar!

Earth and Sun

In 1902 Edoardo De Fonseca, founding director of the annual album of arts and letters "Novissima", invited the most famous writers, poets and composers to offer a contribution on the topic "The Sea". Puccini wrote Terra e mare, *to lyrics by the poet Enrico Panzacchi.*

The poplars, bent by the wind,
are whispering in their long rows.
In the darkness, half asleep, I hear them
and I dream of the voice of the sea.

And I dream of the deep voice
with its peaceful, mighty rhythms;
the stars shining in the sky
are reflected in the wave and gaze down at me.

But the wind rages louder
through the row of poplars,
waking me from my joyous sleep…
Now distant is the sound of the sea!

Canto d'anime

Questa Pagina d'album venne commissionata da Alfredo Michaelis, dirigente del ramo italiano della Gramophome Company, il 15 Aprile 1903 e fu scritta da Puccini espressamente per il grammofono. Luigi Illica scrisse i versi, su richiesta di Puccini. Nel 1904 la Gramophone Company Italia pubblicò la raccolta di 5 romanze scritte espressamente per il grammofono: tra queste *Canto d'anime* e altre quattro romanze di Mascagni, Franchetti, Leoncavallo, Giordano.

Fuggon gli anni, gli inganni e le chimere
cadon recisi i fiori e le speranze.
In vane e tormentose disianze
svaniscon le mie brevi primavere.

Ma vive e canta ancora forte e solo
nelle notti del cuore un ideale
siccome in alta notte siderale
inneggia solitario l'usignolo.

Canta, canta ideal tu solo forte
e dalle brume audace eleva il vol lassù,
a sfidar l'oblio, l'odio, la morte
dove non son tenèbre e tutto è sol!

Song of Souls

This album leaf was commissioned by Alfredo Michaelis, manager of the Italian branch of the Gramophome Company, on 15th April 1903. Puccini wrote it expressly for the gramophone, while Luigi Illica wrote the lyrics at the composer's request. In 1904 the Gramophone Company Italia published a collection of five songs composed for the gramophone. These include Canto d'anime *and four other songs by Mascagni, Franchetti, Leoncavallo, Giordano.*

The years, deceipt and illusion all disappear;
flowers and hopes are cut down.
In pointless tormented desires
my brief Springs vanish.

But an ideal still lives in the depth of my heart,
and it still sings out strong and alone
like the solitary nightingale sings forth
in the depth of the starry night.

Sing, sing loudly, my one ideal,
and intrepidly soar above the mists
to defy oblivion, hate and death
to where there are no shadows, and everything is light!

Casa mia, casa mia

Alla fine del 1908 Puccini compose questa lirica su versi tradizionali come conclusione di un articolo scritto in forma di intervista dal suo amico Edoardo De Fonseca. L'articolo, intitolato "Le tre case di

My home, my home

At the end of 1908 Puccini composed this song to traditional verses as final part of an article written in the form of an interview by his friend Edoardo De Fonseca. The article was headed "Le tre case di Giacomo Puccini / Torre

Puccini / Torre del Lago - Chiatri - Abetone", venne pubblicato nel periodico "La casa" (anno I, n. 14, 16 Dicembre1908).

Casa mia, casa mia
per piccina che tu sia,
tu mi sembri una Badia.

del Lago - Chiatri - Abetone" ["Puccini's three houses"] and was published in the periodical "La casa" (Year I, n. 14, 16th December 1908).

My home, my home
though you may be very small,
you seem like an Abbey to me.

Morire?

Questa lirica fu composta da Puccini su testo di Giuseppe Adami per un album promosso dalla Regina Elena per raccogliere fondi "Per la Croce Rossa Italiana". L'Album non reca data, ma apparve certamente tra il 1917 e il 1918. Alla pubblicazione collaboraroro anche Arrigo Boito, Alberto Franchetti, Umberto Giordano, Ruggero Leoncavallo, Pietro Mascagni e Riccardo Zandonai.

Morire?... e chi lo sa qual è la vita!
Questa che s'apre luminosa e schietta
Ai fascini, agli amori, alle speranze,
o quella che in rinuncie s'è assopita?
È la semplicità timida e queta
Che si tramanda come ammonimento
Come un segreto di virtù segreta
Perché ognuno raggiunga la sua mèta,
o non piuttosto il vivo balenare
di sogni nuovi sovra sogni stanchi,
e la pace travolta e l'inesausta fede d'avere per desiderare?
Ecco io non lo so, ma voi che siete all'altra sponda
Sulla riva immensa ove fiorisce il fiore della vita
Son certo lo saprete.

To die?

This song was composed by Puccini to words by Giuseppe Adami for an album of music promoted by Queen Elena di Savoia and sold to benefit the Italian Red Cross. The album was published without any date (ca. 1917-1918). It also included songs by Arrigo Boito, Alberto Franchetti, Umberto Giordano, Ruggero Leoncavallo, Pietro Mascagni e Riccardo Zandonai.

To die?.... and who knows what is life!
The life that starts bright and shiny and open
to attractions, to loves, to hopes,
or that which has given up, half asleep?
Is it that shy and calm semplicity
handed down like a warning,
like the secret of hidden virtues
so that each reaches his own goal,
or is it rather the constant appearance
of new dreams over tired ones,
and peace being swept away and the inexhaustible belief in possessions only to desire?
Frankly, I don't know the answer, but you who are on the other bank,
on the boundless shore where the flower of life blossoms,
I'm certain you will know.

Sogno d'or

Puccini compose questa ninna-nanna nel 1921 su versi di Carlo Marsili per il fascicolo di Natale e Capodanno 1913 della rivista "Noi e il mondo".

Bimbo, mio bimbo d'amor,
mentre tu dormi così
un angiol santo si parte lontan
per incontrarsi con te
sul candido origlier
E t'avvolge di fiabe in un vol,
e ti narra di Fate e tesor!
Bimbo d'amor,
ecco il sogno d'or!

Golden slumber

Puccini composed this cradle-song in 1921 on a text by Carlo Marsili for the Christmas and New Year's Day 1913 issue of the periodical "Noi e il mondo".

My child, my beloved child,
as you sleep so sweetly,
a holy angel wings its way
from afar to meet you
on your pure pillow.
And he embraces you in flights of fancy,
and tells you tales of fairies and treasure!
O child of love,
here's your golden slumber!

A TE

Vietata
la fotocopiatura
ai sensi di legge

[1875]

Andante
pp
Oh! quant'io t'a-mo, o quan - to
in me for-te è il de - si - o, for - te è il de - si - o,

24
di strin-ger-ti al cuor mi - o, di far-ti pal-pi-tar,
28
di strin-ger-ti al cuor mi - o, di far - ti pal-pi-tar.
32
Da te co-sì lon-ta - no io sof-fro, io sof-fro as - sa - i;
3
3
36
cresc.
né pa-ce io tro-vo ma - i per - ché trop-po è l'a-mor, ah!
cresc.

40
Oh! quan-t'io t'a-mo, o quan - to in me for-te è il de - si - o,
44
for - te è il de - si - o, di strin-ger-ti al cuor mi - o,
48
di far-ti pal-pi-tar, di strin-ger-ti al cuor mi - o, di
52
far - ti pal-pi - tar. Da te co-sì lon-ta - no io

56
cresc.
sof - fro, io sof - fro as - sa - i; né pa-ce io tro-vo ma - i
cresc.
60
per - ché trop-po è l'a-mo - re, trop - po è l'a - mor! O mia vit -
65 Più mosso
- to - ri - a, o mio te - so - ro, o be-ne mio, o mi - o sol pen-
Più mosso
68
- sie-ro, e dam-mi un ba-cio e il mon - do in - tie - ro, e mi fa -

71
-rai tut-to ob - bli - ar. E dam-mi un ba-cio e il mon - do in -
sic
74
- tie - ro, e mi fa - rai tut-to ob - bli - ar. O mia vit -
77
f
- to - ria, o mio te - sor sa - rai, o be - ne mio, o mi - o sol pen -
f
80
- sie - ro, e dam-mi un ba - cio e il mon - do in - tie - ro, e mi fa -

83
-rai to-sto ob-bli-ar! E dam-mi un ba-cio e il
87
mon-do in-tier, e mi fa-rai to-sto
91
ob-bli-ar, ob-bli-ar,
96
ob-bli-ar!
8vb

STORIELLA D'AMORE

Versi di/ *Text by*
Antonio Ghislanzoni

1883

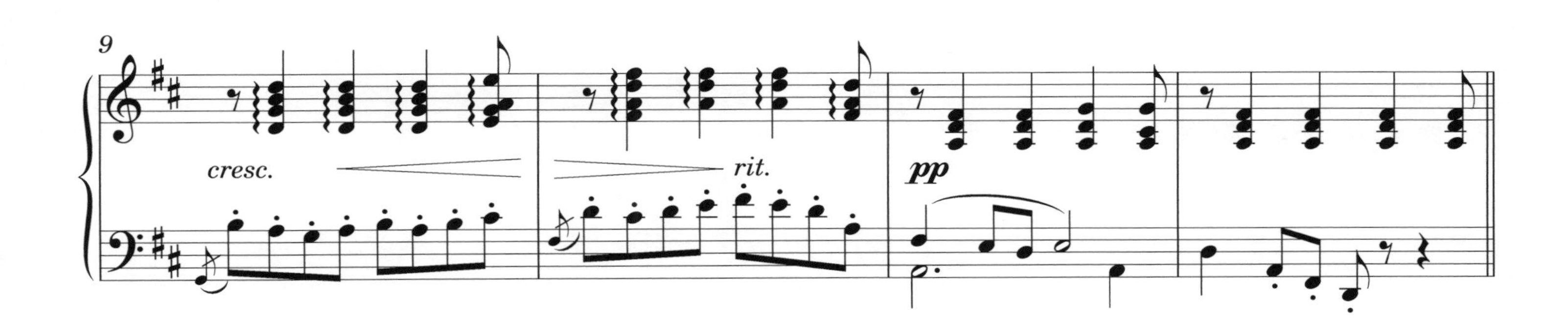

17
u - na gen - ti - le i - sto - ria pie - na di me - sti a - mor,
io vi - di in un sor - ri - so ri - fles - so il mio de - sir,
pp
cresc.
pp

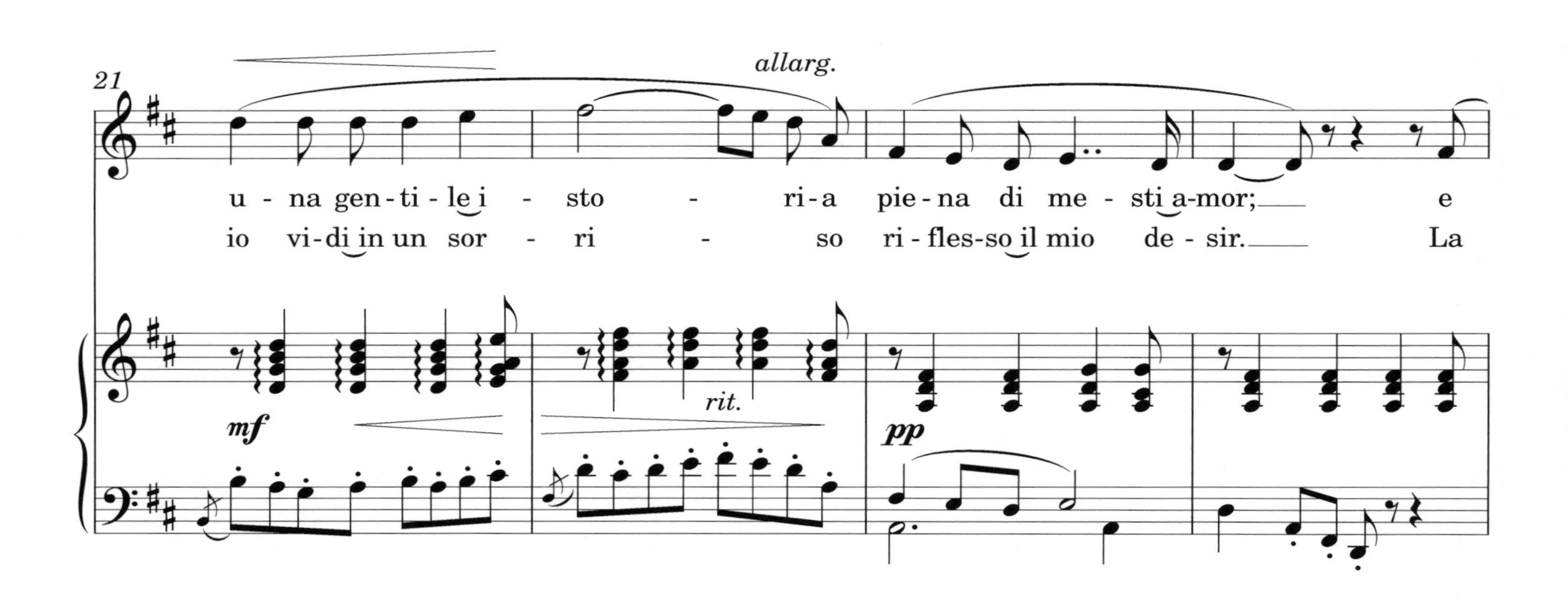
21
allarg.
u - na gen - ti - le i - sto - ri - a pie - na di me - sti a - mor; e
io vi - di in un sor - ri - so ri - fles - so il mio de - sir. La
mf
rit.
pp

25
allarg.
sen - z'al - cun so - spet - to el - la se - de -
bel - la ma - no al co - re strin - si di gio -
p
cresc.
p
cresc.
allarg.

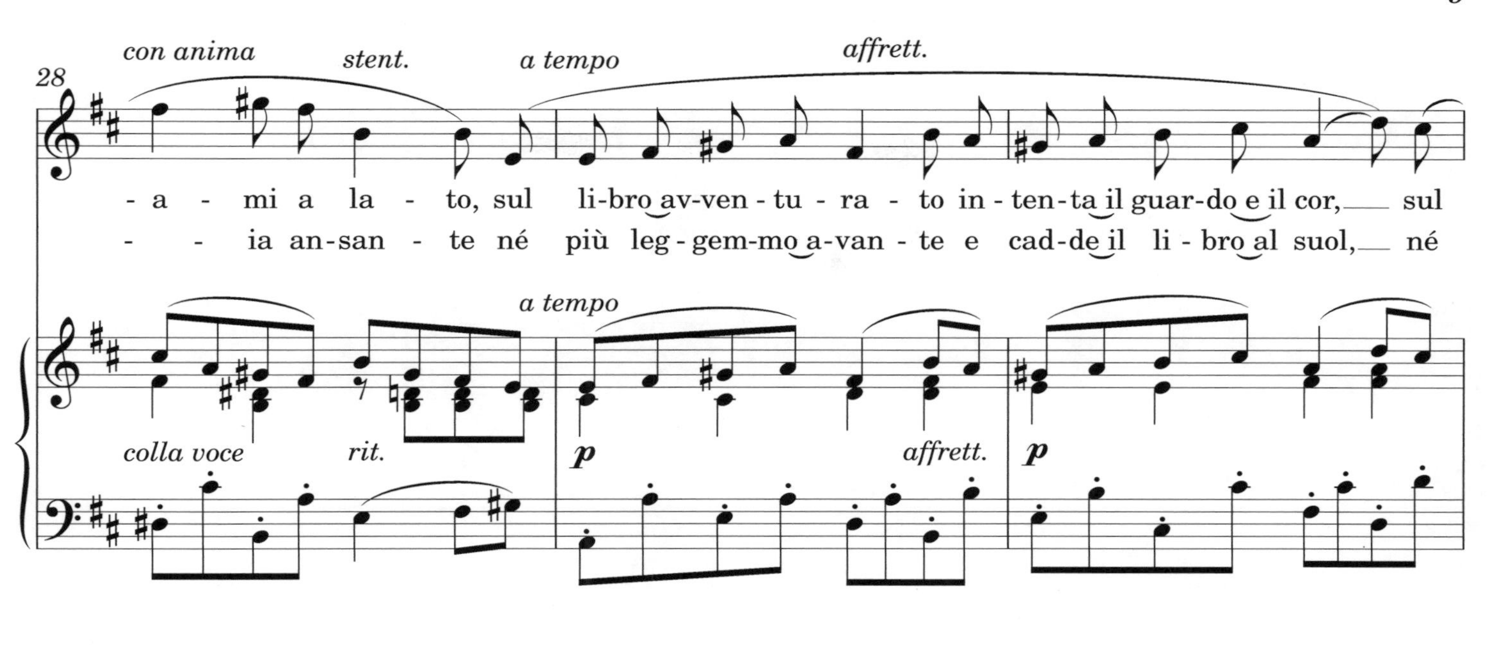
con anima
stent.
a tempo
affrett.
28
- a - mi a la - to, sul li-bro av-ven - tu - ra - to in - ten-ta il guar-do e il cor, sul
- - ia an-san - te né più leg-gem-mo a-van - te e cad-de il li - bro al suol, né
a tempo
colla voce
rit.
p
affrett.
p

allarg.
31
rit.
ten.
a tempo
p
li-bro av-ven - tu - ra - to in - ten-ta il guar-do e il cor.
Noi leg-ge -
più leg-gem-mo a-van - te e cad-de il li - bro al suol.
Noi leg-ge -
allarg.
rit.
ten.
p
a tempo

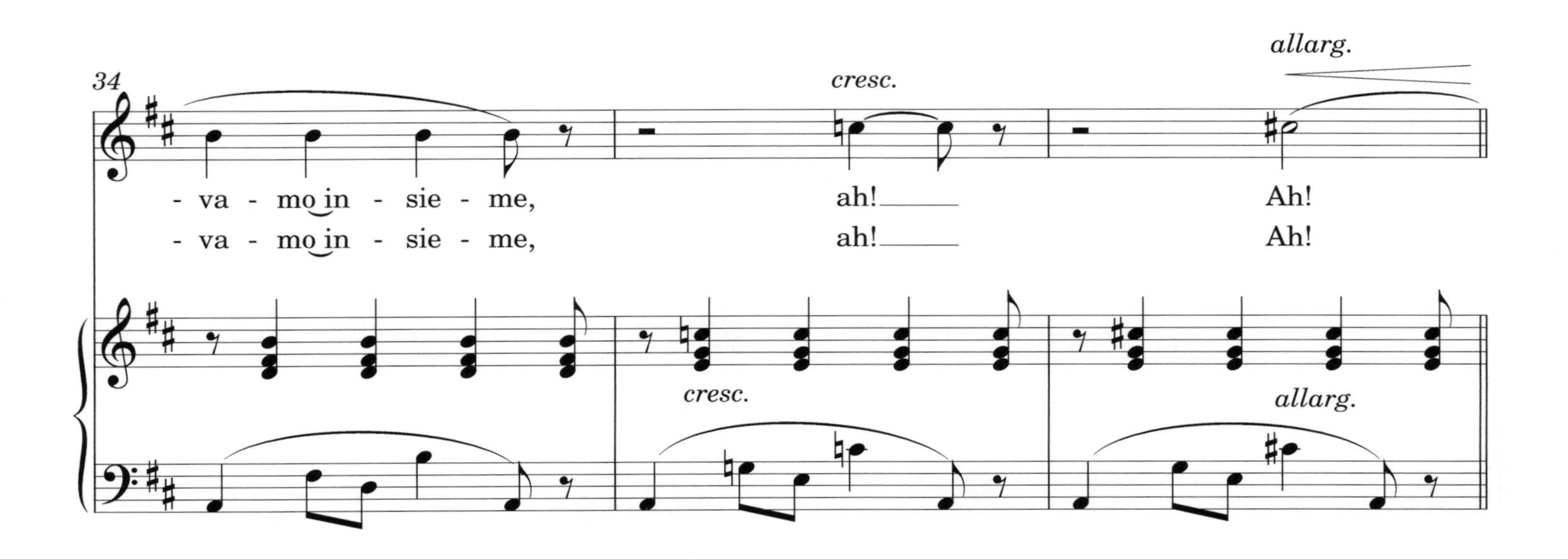
allarg.
34
cresc.
- va - mo in - sie - me, ah! Ah!
- va - mo in - sie - me, ah! Ah!
cresc.
allarg.

I Tempo con slancio
37
L'on - da de' suoi ca - pel - li il vol - to a me lam -
Un lun-go, ar-den - te ba - cio con - giun - se i lab - bri a -
I Tempo con slancio
40
affrett. molto
rall.
- bi - a, il vol-to a me lam-bi - a,
- ne - li, con - giun-se i lab - bri a-ne - li,
affrett. molto
rall.
44
Lento
e-co al-la vo - ce mi - a, e - co fa -
e ad i-gno - ra - ti cie - li l'al-me spie -
Lento
47
rall. molto
a tempo
- ce-a-no i suoi so-spir. L'on-da dei suoi ca - pel - li
- ga-ro, spie-ga-ro il vol. Un lun-go, ar-den-te ba - cio
rall. molto
a tempo

51
il vol-to a me lam - bi - a, e - co al-la vo - ce
con - giun-se i lab - bri a - ne - li, e ad i - gno-ra - ti
f
cresc.
54
mi - a, fa - ce - a - no i suoi so - spir.
cie - li l'al - me spie-ga - ro il vol.
rall.
pp
57
Fine
61
f
pp

SOLE E AMORE
(Mattinata)

Versi di/ *Text by*
Giacomo Puccini [?]

1888

10
chia - ma.
Il so - le
14
di - ce: "O dor - men - te, mo - stra - ti che sei bel - la"
18
poco allarg.
di - ce l'a - mor: "So - rel - la, col tuo pri - mo pen - sier
22
con espress.
poco rit.
pen - sa a chi t'a - ma! pen - sa a chi
poco rit.

25
t'a - ma!
pen - sa!"
p
pp
28
poco accel.
rall.
a tempo
32
Il so-le al-le-gra-men - te: "Pen-sa a chi t'a - ma." *
35
morendo
pp
* Nell'o.:
Al Pa - ga - ni - ni G. Puc - ci - ni,

AVANTI *URANIA!*

Versi di/ *Text by*
Renato Fucini

1896

11
vo - lo si li - bra - no a guar - dar. Io non ho
p
14
pin - ne, ep - pur quan - do i ma - ro - si niun le - gno o - sa af - fron -
17
p
- tar, tre - pi - dan - do, gli squa - li ar - di - men - to - si mi
p
20
ritenendo
Meno
p dolce
guar - da - no pas - sar! Si - mi - le al mio si -
Meno
ritenendo
p dolce

a tempo
molto ritenuto
-gnor, mi-te d'a-spet-to quan-to è for-te in cuor, le
a tempo
molto ritenuto
I Tempo
fiam-me ho an-ch'io nel pet-to, an-ch'io di spa-zio, an-
I Tempo
cre-scen-do ed in-calzan-do
cresc. molto
-ch'io di glo-ria ho sma-nia, a-van-ti U-ra-
cresc. molto
-nia!
stentando

INNO A DIANA

Versi di/ *Text by*
Carlo Abeniacar

1897

21
p
ve - glia sem - pre con l'oc - chio di - vin; tu li
p
26
ff f
gui - di al - le im - pre - se più au - da - ci, li sor - reg - gi nel -
ff
31
f p cresc.
- l'a - spro cam - min. Glo - ria a te, se ai me - rig - gi co -
f p cresc.
36
poco rall.
- cen - ti tem - pri, o Dia - na, dei for - ti il va - lor.
dolce
poco rall.

42
p dolce
Dal - le vet - te del - l'Al - pi ne - vo - se fi - no ai li - di del
48
si - cu - lo mar; per i cam - pi e le sel - ve più om - bro - se,
54
piano
rallentando
do - ve a - ma - vi le fie - re in - con - trar;
legato
pp
rallentando
a tempo
3
ff
61
I Tempo
f
p
so - vra i la - ghi, o - ve ba - cia - no l'on - da le co - rol - le di
I Tempo
f
p

67
cresc.
ff
can - di - di fior, giun - ga a te, co - me u - n'e - co pro -
marcato cresc.
72
rallentando
allargando
- fon - da, Que - sto fer - vi - do can - to d'a - mor!
77
ff a tempo
fff
Glo - ria a te, glo - ria a te,
83
allargando
glo - ria, glo - - - ria!
grave

E L'UCCELLINO

(Ninna-nanna/*Lullaby*)

Versi di/*Text by*
Renato Fucini

1899

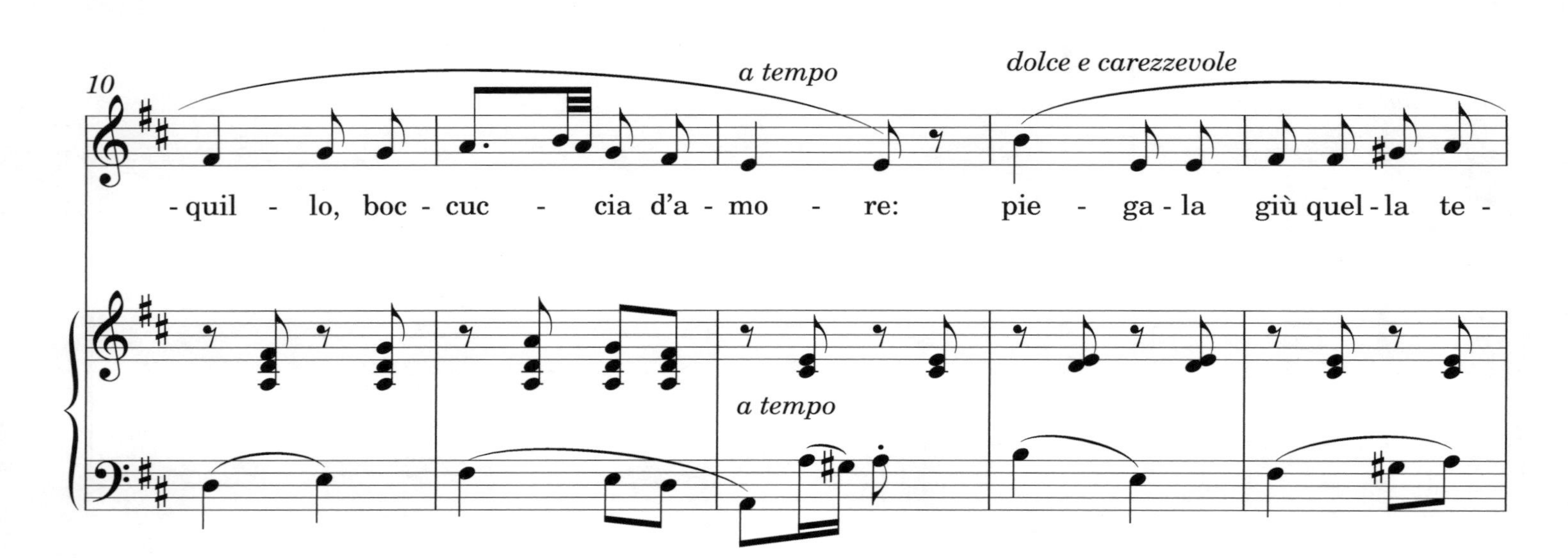

15
poco rit.
a tempo
-sti - na bion - da, del - la tua mam-ma po-sa - la sul
a tempo
poco rit.
20
p
cuo - re».
E l'uc-cel - li - no
pp
25
poco rall.
can-ta su quel ra - mo:
«Tan - te co - si - ne
poco rall.
30
a tempo
dolce e carezzevole
bel - le im-pa-re - ra - i, ma se vor - rai co-no-scer quan - t'io
a tempo

35
poco rit.
a tempo
t'a - mo, nes - su-no al mon-do po-trà dir - lo ma - i!»
a tempo
poco rit.
pp
40
E l'uc-cel - li - no can-ta al ciel se -
45
rall.
- re - no: «Dor - mi te - so - ro mio qui sul mio
rall.
50
rit.
a tempo
se - no».
rit.
a tempo
rall.
pp

TERRA E MARE

Versi di/ *Text by*
Enrico Panzacchi

139188

16
rallentando
stel - le nel cie - lo ful - gen - ti.
più p
rallentando
19
a tempo
f
Ma il ven - to più for - te tem - pe - sta, de'
a tempo
f
22
calando e rit.
rallentando
p ten.
piop - pi nel lun - go fi - la - re, dal son - no gio - con - do mi de - sta... Lon -
calando e rit.
pp
rallentando
26
- ta - na è la vo - ce del mar!
dolce e pp
rall.

CANTO D'ANIME

Versi di/ *Text by*
Luigi Illica

1904

Moderato ♩=92

mf

Fug - gon gli an - ni, gli in-gan - ni e le chi-

Moderato ♩=92

f

p

3

- me - re ca - don re - ci - si i fio - ri e le spe-ran - ze in

rit.

3

a tempo

rit.

a tempo

6

va - ne e tor - men-to - se di - si - an - ze sva-

8
rall.
- ni - scon le mie bre - vi pri - ma - ve - re. Ma
rall.
10
a tempo
rit.
a tempo
vi - ve e can - ta an - co - ra for - te e so - lo nel - le not - ti del
a tempo
rit.
a tempo
3
13
cuo - re un i - de - a - le sic - co - me in al - ta
3
15
p
not - te si - de - ra - le in - neg - gia so - li - ta - rio l'u - si -
pp

18
I Tempo
-gno - lo.
Can - ta, can - ta i - de-al tu so - lo
I Tempo
f
21
rit.
a tempo
for - te e dal - le bru-me au-da - ci e-le-va il vol las-sù,
rit.
a tempo
p
24
allargando
a sfi-dar l'o-blio, l'o-dio, la mor - te, do-ve non son te-ne - bre e tut - to è
allargando
f
27
a tempo
sol, tut - to è sol, tut - to è sol!
a tempo

CASA MIA, CASA MIA

MORIRE?

1917 (?)

Versi di/ *Text by*
Giuseppe Adami

Andantino

dolce

Mo - ri - re?... e chi lo

Andantino

p *legato*

4

sa qua - l'è la vi - ta! Que-sta che

8

s'a - pre lu - mi - no - sa e schiet - ta ai fa - sci-ni, a - gli a-

poco rit.
a tempo
-mo - ri, al-le spe-ran - ze, o quel - la che in ri-
-nun - cie s'è as - so - pi - ta?
sostenuto
rall.
È la sem-pli-ci-tà ti-mi-da e que - ta
a tempo
p rall.
che si tra - man-da co-me am-mo-ni - men - to co-me un se -

26
-gre - to di vir - tù se - gre - ta per - ché o - gnu - no rag - giun - ga la sua
pp
p
29
a tempo
me - ta, o non piut - to - sto il
a tempo
33
vi - vo ba - le - na - re di so - gni nuo - vi
sostenuto
p sostenuto
37
so - vra so - gni stan - chi, e la pa - ce tra - vol - ta e l'i - ne -

40
poco rit.
-sau - sta fe - de d'a - ve - re per de-si-de - ra - re?
rall.
poco rit.
dim.
43
3
rall.
Ec - co io non lo so, ma voi che
3
p calmo e rall.
46
sie - te al-l'al - tra spon - da sul-la ri-va im-men-sa o-ve fio-ri-sce il fio-re del-la
49
cresc. allarg.
rit. molto
vi - ta son cer - to lo sa - pre - te.
allarg. col canto
mf rall.

SOGNO D'OR

1912

Versi di/ *Text by*
Carlo Marsili

10
E t'av - vol - ge di fia - be in un vol,
e ti
13
poco rit.
a tempo
nar - ra di Fa - te e te - sor!
Bim - bo d'a - mor,
ec - co il so - gno
poco rit.
a tempo
(Ped. simile)
16
d'or!

ARIE DA CAMERA

PER VOCE E PIANOFORTE

RACCOLTE

AUTORI VARI
Arie, ariette e romanze. Raccolta di composizioni vocali da camera di operisti dell'Ottocento per voce media e acuta
I RACCOLTA
(137990) *(Allorto)*
Contiene: Bellini: Guarda che bianca luna, Il rimprovero, Il zeffiro - Isabella Colbran: Già la notte si avvicina, Quel cor che mi prometti/Si ton coeur n'est sous ma loi – Donizetti: Ammore!, Un bacio di speranza/Un baiser pour espoir, Le chant de l'abeille/La canzone dell'ape, Malvina, Non m'ami più, L' ora del ritrovo, T'aspetto ancor!, Venne sull'ali ai zeffiri. Lamento per la morte di Bellini - Maria Malibran: No chiù lo guarracino, Rataplan, tambour habile, La visita della morte – Mercadante: Domando a queste fronde - Meyerbeer: Se il fato barbaro – Rossini: Or che di fiori adorno (La passeggiata), La partenza, Se il vuol la molinaraVoce acuta e pianoforte

AUTORI VARI
Arie, ariette e romanze. Composizioni vocali da camera del secondo Ottocento per voce media e acuta
II RACCOLTA
(138555) *(Allorto)*
Contiene: Mercadante: Lungi da te ben mio - Verdi: Stornello- Catalani: L'odalisque, Senza baci, In riva al mare - Mascagni: La tua stella, M'ama... non m'ama... - Leoncavallo: October, Serenata francese - Arditi: Il bacio - Tosti: Non t'amo più!, Les papillons/Le farfalle, Two little songs, Marechiare - Gastaldon: Musica non proibita! - Tirindelli: Mistica - Gordigiani: Giovanottin che passi per la via - Gomes: Lisa me vostu ben? - Ricordi: El piscinin

AUTORI VARI
10 Arie antiche italiane
(129029) *(Tomelleri)*

BELLINI
Composizioni da camera
(123282)

DONAUDY
36 Arie nello stile antico
I serie (117220)
II Serie (117233)
III Serie (118842)

PUCCINI
Composizioni vocali da camera
(139188)

VERDI
Composizioni da camera
(123381)

VOCE ACUTA

ALFANO
È giunto il nostro ultimo autunno (125532)
Nuove liriche tagoriane: n.3 Corro come il cervo muschiato (123620)

ARDITI
Il bacio (32496)

CARDILLO
Core 'ngrato (127448)

COTTRAU
Santa Lucia (53850)

DENZA
Funiculì-funiculà (126791)
Occhi di fata (49402)
Se... (46673)

DONAUDY
Spirate pur, spirate (133118)

GHEDINI
Canta un augello in voce sì suave (123901)
Datime a piena mano e rose e zigli (123902)
Diletto e spavento del mare (120582)
2 Liriche su versi di Boiardo: Candida mia colomba (127119)

GLUCK
O del mio dolce ardor1 (21039)

MARTINI
Plaisir d'amour (121041)

PERGOLESI
Tre giorni son che Nina. Siciliana (128076)

PIZZETTI
3 Canti greci: n.3 Canzone per ballo (122839)
3 Sonetti del Petrarca: n.2 Quel rossignuol che sì soave piagne (119229)
- n.3 Levommi il mio pensier in parte ov'era (119230)

ROSSINI
La danza (32364)
La regata veneziana. 3 Canzonette in dialetto veneziano (ER 2558)

SCARLATTI A.
Se Florindo è fedele (121045)

TOSTI
Addio! (49616)
Aprile (48388)
Ave Maria (47761)
Chanson de l'adieu (102287)
Ideale (48404)
Luna d'estate!... (114209)
Malìa (52291)
Marechiare (126437)
Mattinata (98781)
La mia canzone! (104648)
Non t'amo più! (49519)
Penso! (47196)
Il pescatore canta!... (113555)
Pour un baiser! (110077)
Ridonami la calma! (53249)
La serenata (53246)
Sogno (51183)
L' ultima canzone (111039)
Vorrei morire! (46066)
'A vucchella (112147)

ZANDONAI
6 Melodie: n.5 Lontana (da Myricae di G.Pascoli) (114835)

VOCE MEDIA

ALFANO
3 Liriche: n.1 Felicità (123621)
- n.2 Messaggio (123622)
Nuove liriche tagoriane: n.1Perché siedi là... (123618)

ANONIMO
Fenesta che lucive (126832)

CACCINI
Amarilli (113448)

DENZA
Funiculì-funiculà (126792)
Occhi di fata (49403)

DONAUDY
O del mio amato ben... (132901)

GHEDINI
Dì, Maria dolce (120585)
2 Liriche su versi di Boiardo: Tu te ne vai... (127120)

MARTINI
Plaisir d'amour (51953)

MARTUCCI
La canzone dei ricordi (60202)

PERGOLESI
Se tu m'ami (113470)
Tre giorni son che Nina. Siciliana (36235)

PIZZETTI
3 Canti greci: n.1 Augurio (122837)
- n.2 Mirologio per un bambino (122838)
Oscuro è il ciel. Canto d'amore (122836)
3 Sonetti del Petrarca: n.1La vita fugge e non s'arresta un'ora (119228)

RESPIGHI
La donna del sarcofago (134185)
5 Liriche (Canto funebre - La fine - Par les soirs - Par l'étreinte - Tempi assai lontani) (117196)

ROSSINI
La danza (15331)

SCARLATTI A.
Già il sole dal Gange (53999)

TIRINDELLI
O primavera!... (111029)

TOSTI
Chanson de l'adieu (102288)
Ideale (48405)
Malìa (52292)
Marechiare (126438)
Non t'amo più! (49520)
Ridonami la calma! (53250)
La serenata (53247)
Sogno (51184)
L' ultima canzone (111040)
Vorrei (50315)
'A vucchella (112148)

VERETTI
6 Stornelli (120878)

ZANDONAI
6 Melodie: n.3 I due tarli (114833)
- n.4 Serenata (dai Sonetti sardi di G.Deledda) (114834)
- n.6 L'assiuolo (114836)

VOCE GRAVE

ALFANO
3 Liriche: n.3 Antica ninna-nanna partenopea (123623)

GHEDINI
La quiete della notte (da Alcmane) (120583)

RESPIGHI
4 Liriche su testi di poeti armeni: n.1 No, non è morto il figlio tuo (118784)
- n.2 La mamma è come il pane caldo (118785)
- n.4 Mattino di luce (118787)

TOSTI
Non t'amo più! (49521)
L' ultima canzone (111041)